Mein liebster Geschichtenschatz
ab 3 Jahren

Mein liebster Geschichtenschatz

ab 3 Jahren

Inhalt

Nachts im Kinderzimmer

Wusstest du, dass die Spielsachen alle darauf warten, dass du einschläfst?

Wenn du schläfst, wachen sie auf. Der Bär reckt sich und streckt sich, reibt sich seine Augen und gähnt. Die Puppe wacht auf und setzt sich hin, und die Autos fangen an, von ganz alleine hin und her zu fahren. Dann steht der Bär auf und schleicht sich ganz leise zu deinem Bett. Er sieht nach, ob du auch wirklich schläfst. Er klettert aufs Bett hoch und kriecht ganz vorsichtig bis zu deinem Kopf hinauf. Und dann sieht er in dein Gesicht und prüft, ob deine Augen auch zu sind.

Und wenn du schläfst, gibt er dir ganz vorsichtig einen feuchten Bärenkuss, denn er hat dich ja lieb. Und er flüstert dir zu: „Schlaf schön und träum was Schönes. Er winkt den anderen Spielsachen zu, und sie fangen an, miteinander zu spielen. Die Puppen tanzen und die Autos fahren herum. Die Bauklötze bauen ganz alleine hohe Türme und die Stofftiere werfen sie wieder um. Dann flüstert der Bär: „Pssst! Leise sein. Das Kind schläft doch. Weckt es nicht auf!" Dann spielen alle Spielsachen wieder leise und vorsichtig weiter. Eines deiner Spielzeuge passt immer auf: Mal dein Teddybär, mal deine anderen Stofftiere. Und wenn du am nächsten Morgen anfängst, dich zu rühren, dann sausen alle Spielsachen ganz schnell und heimlich wieder auf ihren Platz zurück. Sie sitzen und liegen den ganzen Tag über still. Darum kuschle dich jetzt brav ins Bett, mach die Augen zu, schlaf ein und träume etwas ganz Schönes.

Klaus, der Hase

Ein kleiner Hase namens Klaus,
Der liebte es, zu rennen.
Er hopste, tollte durch das Haus –
Ihr werdet das ja kennen.
Saß niemals fünf Minuten still,
Das konnte er nicht leiden.
Genau wie seine Schwester Lill.
Das war was mit den beiden!

Sie rannten mal fünf Stunden lang
Und jagten ihre Schwänze.
Dann sausten sie auf einen Hang
Und übten wilde Tänze.
Doch endlich war es nun genug:
Sie flitzten schnell zur Truhe
Holten sich einen Bettbezug
Und gaben erst mal Ruhe.

Der kleine Hasenjunge Klaus,
Der reckte seine Pfoten
Und Schwester Lill streckte sich aus
Und rollte sich zum Knoten.
Dann machten sie die Augen zu
Und fingen an zu träumen.
Und endlich schlafen sie in Ruh,
Weil sie ja nichts versäumen.

Marens Katze

Maren ist drei Jahre alt. Sie wohnt mit ihrem Bruder Pedro in einem Zimmer. Die beiden haben einen ganz schwarzen Kater, der heißt Jupp. Jupp ist ein kluger und lieber Kater, und Maren und Pedro haben ihn sehr gern.

Vor ein paar Tagen kam Maren in den Kindergarten. Sie war dort noch ganz fremd und fühlte sich ein bisschen unwohl. Die anderen Kinder kannten sich alle schon, nur Maren kannte keinen. Maren traute sich nicht, zu den anderen hinzugehen. Als alle Kinder zum Spielen rausgingen, setzte sie sich ganz allein in den Sandkasten.

Von dort aus konnte man auf den Gehweg sehen, auf dem die Eltern ankamen, um ihre Kinder abzuholen. Und Maren wollte so gern, dass ihre Mama bald kam. Sie wartete und wartete. Fast hätte sie ein geweint, weil sie immer noch im Kindergarten bleiben musste.

Auf einmal spürte sie erschrocken, wie etwas ihr Bein berührte. Und als sie hinsah, saß da Jupp im Sandkasten! Ihr Kater Jupp. Aber der wusste doch gar nicht, wo Maren war? Und trotzdem hatte er sie gefunden. Bestimmt war der Kater einfach so von zu Hause weggelaufen!

Jupp schnurrte und rieb seinen Kopf an Marens Bein. Maren war sehr froh: Endlich war sie nicht mehr allein. Und jetzt kamen auch andere Kinder näher. Ein Junge fragte: „Wo kommt die Katze denn her?" – „Das ist Jupp, mein Kater. Der hat mich gesucht!", sagte Maren ganz stolz. Und alle Kinder wollten Jupp streicheln. Das mochte Jupp aber nicht. Als die Kindergärtnerinnen Jupp sahen, waren sie überrascht. Doch dann wollten auch sie den Kater streicheln – aber der wollte wieder nicht. Plötzlich fühlte Maren sich gar nicht mehr so allein: Jupp war ja schließlich da. Und durch ihn hatte sie jetzt schon mit ganz vielen Kindern geredet.

Als Marens Mama ankam, standen alle Kinder und Erwachsenen um Maren herum. „Na so was. Hier bist du, du Ausreißer! Wir haben dich überall gesucht!", rief sie, als sie Jupp sah. Und Jupp?

Der reckte sich und leckte sich die Schulter, als ob er sagen wollte: „Wieso? Ich war doch die ganze Zeit hier!" Maren nahm ihren Kater auf den Arm. Ihre Mama legte den Arm um Maren und den Kater und sagte: „Na, jetzt ist der Jupp wohl auch schon groß genug für den Kindergarten, was?" Dann gingen sie zum Auto. „Bis morgen!", rief der Junge, der Jupp zuerst gesehen hatte, Maren hinterher. „Bringst du morgen wieder deinen Kater mit?" – „Vielleicht!", rief Maren. Sie war froh, dass sie jetzt schon ein paar Kinder kannte.

Am Abend, als sie ins Bett musste, kam Jupp angeschlichen und kroch zu ihr unter die Bettdecke. „Danke, Jupp!", flüsterte Maren ihm leise ins Ohr. „Jetzt fürchte ich mich nicht mehr!"

Und Jupp? Der kuschelte sich ganz eng an Maren heran, schnurrte – und sah sehr zufrieden aus.

Ferkel Fritz

Lena und ihre Eltern besuchen in den Ferien Opa und Oma. Opa und Oma haben einen richtigen Bauernhof. Da gibt es sehr viele Tiere: Schweine, Kühe, Hühner, Enten. Lena sieht sich alle Tiere an.

Lena mag am liebsten den kleinen Fritz. Fritz ist ein Ferkel. So nennt man kleine Schweine. Fritz ist ganz rosa. Er hat einen Ringelschwanz und einen runden Schweinerüssel. Mit dem schnüffelt der kleine Fritz immer herum und sucht nach Futter.

Lena darf mit Fritz spielen. Sie spielen Fangen und Verstecken. Lena darf Fritz auch füttern. Sie gibt ihm eine Möhre und einen Apfel.

Lena möchte Fritz sehr gern mit ins Bett nehmen. Aber da sagt die Oma: „Nein!" Und so schläft sie heute Nacht doch mit ihrem Teddy und nicht mit einem kleinen Schwein. Träum was Schönes.

Der kleine Ausreißer

Brumm war gar nicht müde. Kein bisschen. Aber sein Bärenpapa brummte nur: „Ab ins Bett, kleiner Bär!" Und seine Bärenmama nahm ihn ganz vorsichtig mit ihrem großen Maul am Nackenfell und trug ihn sanft zu seinem gemütlichen Schlafplatz in der Bärenhöhle. Dort gab sie ihm noch einen dicken Bärenkuss – dabei schleckt man sich ganz sanft über die Nase und das Gesicht – und flüsterte ihm zu: „Schlaf schön, mein kleiner Bär." Und dann ging sie fort und kuschelte sich an Papabär.

Brumm war brummig. Nie durfte er aufbleiben. Immer musste er als Erster ins Bett. Missmutig kuschelte er sich in sein Bett aus Moos, Farn und duftendem Heu und sah sehnsuchtsvoll zum Ausgang.

Und wenn er einfach heimlich, still und leise zum Ausgang schlich und draußen noch ein wenig spielte? Vorsichtig schielte er zu seinen Eltern hinüber – die schienen nichts bemerkt zu haben. Der kleine Bär kroch ganz leise aus seinem Bett. Er schlich ganz nah am Boden und sehr vorsichtig bis zum Eingang und – schwupps – schon war er draußen.

Am liebsten hätte Brumm ganz laut „Hurrah!" gerufen. Aber das ging nicht, dann hätten seine Eltern ihn ja gehört. Und so rannte er schnell und leise in den Wald hinein. Brumm fühlte sich groß und stark wie ein Riesenbär. Er konnte schon ganz alleine Nachtausflüge machen. Das war ganz spannend! Nachts sah der Wald ganz anders aus als am Tag, und er hörte sich auch anders an. Alles war geheimnisvoll. Brumm war sehr aufgeregt. Der Mond schickte seine Strahlen zwischen den Blättern der Bäume hindurch auf die Erde, und ein Strahl fiel genau auf Brumms Nasenspitze. Im Mondlicht sah alles verändert aus. Es raschelte, und überall huschten Tiere an dem kleinen Bären vorbei. Aus dem Gebüsch lugte ein großer Dachs hervor. „Na so was, Kleiner, was machst du denn noch hier draußen?", fragte er Brumm. Der stotterte: „Äh, ich geh noch etwas spielen!", und sauste so schnell wie möglich weiter. „Schuuhuuu, schuuhuu!", hörte er hoch über seinem Kopf einen dumpfen Ruf, und zwei riesige Augen sahen ihn aus dem Dunkeln blinzelnd an.

Das gefiel Brumm gar nicht! Wohin er sich auch bewegte – die riesigen, hellen Augen schienen ihm immer zu folgen. „Hallo", sagte er ängstlich, „ich bin Brumm, wer bist du?" Aber das Wesen da oben auf dem Baum sah Brumm weiter mit seinen leuchtenden Augen an, blinzelte träge und sagte kein einziges Wort. Dann streckte es seine riesigen Schwingen aus und glitt lautlos durch die Luft – bis es auf einem Ast ganz in der Nähe landete. „Schuuhuu", tönte es wieder, und das große Tier starrte auf den kleinen Bären hinunter. Brumm wäre am liebsten wieder daheim in der sicheren Höhle bei seinem Papa und bei seiner Mama gewesen! So ein Tier hatte der kleine Bär tagsüber noch nie gesehen. Es sah aus wie ein großer Vogel mit großen, runden Augen und einem kleinen, spitzen Schnabel. Es sah aus, als hätte es eine Brille auf und es konnte den Kopf fast bis auf den Rücken drehen. Das war unheimlich. Brumm ging hinter dem Stamm eines großen Baumes etwas in Deckung.

Aber weil er ein mutiger, kleiner Bär war, lugte er um den Stamm herum und sprach das große Tier noch einmal an: „Wer bist du? Bist du ein Vogel? Ich bin ein Bär! Ich wohne da hinten in der Bärenhöhle!" „Sohooo", wisperte der Vogel leise, „duhuu bist also ein Bär? Dacht ich mir schohoon! Ich bin Schuhuu, der große Uhu. Nachts bin ich der König des Waldes.

Duhuu bist aber sehr klein für einen Bären, oder?" Klein! Brumm war empört: „Ich bin sogar schon ziemlich groß für mein Alter, sagt mein Papa!" „Sohoo, ziemlich grohooß bist duhuu? Dabei könnte ich dich packen und mit dir wegfliegen, wenn ich das wohollte, du kleiner Bär, duhuu! Aber keine Angst: Ich bin schohoon satt. Und ich fresse überhaupt keine kleinen Bären." Brumm hatte trotzdem große Angst. Das Tier war sehr unheimlich!

Aber da hörte er hinter sich plötzlich eine ganz tiefe Brummstimme sagen: „Das ist auch besser so, Schuhuu. Wenn du nämlich meinem kleinen Bärenjungen etwas tun würdest, dann könntest du was erleben!" Brumms Bärenpapa war da! Erleichtert rannte der kleine Bär zu seinem Papa und schmiegte sich an ihn. „Tut mir Leid, dass ich heimlich rausgeschlichen bin!", flüsterte er seinem Bärenpapa zu. „Mach das nicht noch mal, du kleines Bärentier, du!", flüsterte sein Vater zurück. Und dann fühlte Brumm, wie die starke Pranke seines Vaters ihn umfing, und er fühlte sich ganz sicher und ganz geborgen. „Also, Uhu, eine gute Nacht wünsche ich dir! Und lass es das nächste Mal sein, kleine Bären zu erschrecken!", sagte der große Bär. Der Uhu schwang sich mit einem beleidigten „Schuhuu!" in die Luft.

„Komm, keines Bärenkind", sagte Papabär, „wir gehen heim, deine Mutter macht sich sonst Sorgen!" „Ja", gähnte Brumm, der inzwischen ganz schön müde war. „Aber Papa, gehst du mit mir irgendwann mal nachts in den Wald?", fragte Brumm. „Wenn du ein lieber Bär bist, dann gehen wir am Samstag", antwortete der Bärenpapa. Und Brumm war der allerglücklichste Bär der Welt.

Sandmann schaut herein

Der Sandmann hat es ziemlich schwer:
Kein Kind ist heut im Bett!
Sie sausen alle hin und her
Das findet er nicht nett.

„Na so was!", ruft er ärgerlich
Jetzt ist aber Schluss!
Gleich kracht es hier ganz fürchterlich
Wenn ich erst bös sein muss!"

Jedoch die Frau vom Sandmann spricht:
„Nun schimpf doch nicht so sehr!
So schlafen Kinder sicher nicht,
Da muss dein Traumsand her!"

So schwebt er nun zu jedem Haus
Und sieht durchs Fenster rein.
Schläft hier denn schon der kleine Klaus,
Ist müde die Katrein?
Und wenn er dich durchs Fenster sieht,
Dann schleicht er in den Raum,
Wirft Schlafsand aus, der macht ganz müd
Und schenkt dir einen Traum.

Dann lächelt unser Sandmann sacht
Und flüstert: „Gute Nacht!
Schlaf schön, mein Kind, und träum den Traum
Den ich dir heut gebracht."

Auf Zehenspitzen still und leise,
Stiehlt er sich aus dem Haus
Und macht sich heimwärts auf die Reise;
Und du? Du schläfst dich aus.

Die Ärgermaus

Lisa und Björn sind Geschwister. Lisa ist jetzt zwei Jahre alt. Björn ist schon sechs Jahre. Lisa liegt in ihrem Bett und sieht sich ihr Lieblingsbilderbuch an. Björn liegt auch im Bett, aber er sieht sich gar nichts an. Er ist schlecht gelaunt. Und weil Björn so eine schlechte Laune hat, fängt er an, Lisa zu ärgern.

„Du kannst ja noch nicht mal lesen!", sagt er. „Du bist klein und doof!" Jetzt ist Lisa auch sauer. „Gar nicht klein und doof!", ruft sie und streckt Björn die Zunge raus. „Mama", ruft Björn, „Lisa streckt mir die Zunge raus!" – „Gar nicht!", schreit Lisa. „Mama, der Björn ärgert mich!" – „Gar nicht", ruft jetzt Björn, „ich habe gar nichts gemacht!"

Die Tür geht auf und Mama kommt herein. „Na, ihr Rabauken", sagt sie und lacht, „was ist denn mit euch los? Hat euch die Ärgermaus gebissen?" Björn und Lisa staunen. „Was soll das denn sein?", fragt Björn. „Na", sagt Mama und setzt sich auf einen Stuhl zwischen Lisa und Björn, „die Ärgermaus lebt in Zimmern, in denen Geschwister miteinander wohnen. Da schleicht sie sich ein und wartet, bis die Kinder ganz brav im Bett liegen. Dann tapselt sie heimlich zu den Kindern und flüstert ihnen ins Ohr:

Los, ärger mal deine Schwester oder deinen Bruder! Und dann freut sie sich, wenn sich die Kinder streiten. Sie rennt immer hin und her und flüstert beiden Kindern zu: Los, nicht aufhören, weitermachen! So geht das, bis die Kinder zur Ärgermaus sagen: Schluss jetzt, ich will mich gar nicht streiten. Und dann muss sie ganz kleinlaut in ihrem Mauseloch verschwinden. Also, war eine Ärgermaus hier bei euch?" Björn und Lisa sehen sich an. „Ich glaub schon, und jetzt hab ich gar keine Lust mehr zum Streiten", sagt Björn. Und Lisa sagt: „Ich auch nicht!" – „Fein", sagt Mama, „dann muss die Ärgermaus wieder in ihr Loch und meine Kinder wieder ins Bett. Nun schlaft schön!" Björn und Lisa bekommen beide einen Kuss. Ihre Mama macht das Licht aus.

Und du?
Du könntest jetzt eigentlich auch schlafen!
Gute Nacht, und lass dich bloß nicht von der kleinen Ärgermaus beißen!

Affenzirkus

Bim, Ba und Bo waren die wildesten Affenkinder im ganzen Urwald. Was die so alles anstellten!

„Hast du schon gehört, dass Bim schon wieder in den See gefallen ist?", fragte ein Löwe den anderen. Der andere Löwe nickte ernst: „Ja, und seine Brüder Ba und Bo sind bei einem Wettlauf mitten im Ameisenhügel gelandet. Dabei haben sie die Ameisen fast zu Tode erschreckt!" Die Antilopen riefen aus sicherem Abstand: „Glaubt ihr, dass sie heute wieder etwas anstellen?" Sie waren zwar sehr neugierig, fürchteten sich aber vor den Löwen. „Natürlich! Die veranstalteten doch jeden Tag einen Affenzirkus", brummte ein Löwe zurück. Dabei leckte er sich mit seiner Zunge über die Nase. Die Affenkinder Bim, Ba und Bo hatten alles hoch oben in einer Baumkrone belauscht. Zuerst hatten sie sich etwas geschämt, weil alle über sie redeten. Aber beim letzten Satz fing Ba an, ganz aufgeregt auf dem Ast zu hüpfen. Er rief seinen Brüdern zu: „Affenzirkus! Wir haben noch nie einen Affenzirkus gemacht! Aber das könnten wir doch heute mal machen, oder?" Bim und Bo waren sofort begeistert. Die drei überlegten und überlegten. Dann hatten sie eine Idee: Im Zirkus gibt es Tiere. Das war leicht, sie waren ja selbst welche.

Akrobaten gibt es auch. Das war auch leicht, denn
sie konnten viele Kunststücke. Und es gibt Clowns.
Das war auch leicht, denn sie konnten sehr witzig
sein. Also beschlossen die drei Affenkinder, für heute
Tier-Clown-Akrobaten zu sein. Laut riefen sie alle
Tiere zusammen: „Heute gibt es einen Affenzirkus!
Bitte kommt alle!" Und es dauerte gar nicht lange,
da saßen unter den Bäumen ganz viele Tiere friedlich
beieinander: Löwen, Elefanten, ein Nashorn, eine
Giraffe, etwas abseits Antilopen. Am Baum hingen
zwei Schlangen gemütlich auf einem Ast. Schlangen
können nicht so gut sehen, deshalb wollten sie gute
Plätze. Und natürlich waren die Bäume voll mit
Papageien und vielen anderen Vögeln.
Bim, Ba und Bo verbeugten sich. Und dann ging es
los mit dem Affenzirkus: Sie schwangen sich hoch in
die Luft, sprangen akrobatisch weit und fingen sich
mit ihren Schwänzen wieder auf. Bim ließ sich ganz
oben von einem Ast baumeln und hielt Bo mit seinen

Füßen fest. Und dann sprang Ba von der Seite los. Jetzt hingen sie alle drei in einer Kette vom Baum herab und – schwups – sprangen sie wieder ab und schwangen sich in die Bäume. Hier hatte Ba allerdings etwas Pech. Er sprang zwar richtig ab und erwischte auch etwas, was er für einen Ast hielt. Leider war es aber in Wirklichkeit die Schwanzspitze der Schlange Mi. Und weil Mi nicht mit so etwas gerechnet hatte, zischte sie erschreckt. Und Ba rauschte mit Mi in der Hand hinunter in Richtung Urwaldboden. Mi zischte und zappelte. Das erschreckte den armen

Ba so sehr, dass er gar nicht mehr versuchte, sich irgendwo festzuhalten. Zum Glück kamen seine Brüder schnell zu Hilfe: Sie sausten in Affengeschwindigkeit hinterher und erwischten Ba im allerletzten Augenblick an der Schwanzspitze.

Damit war der Affenzirkus erst einmal vorbei. Und an diesem Abend hatten die Urwaldtiere wieder viel zu erzählen ...

Kuno, der Zwerg

Es war einmal ein kleiner Zwerg namens Kuno. Er lebte ganz allein in einem großen Pilz. Kuno hatte keine Freunde. So gern hätte er mit anderen Zwergen, Kindern oder Tieren gespielt. Doch der kleine Zwerg war ganz schüchtern und traute sich nicht, sie zu fragen. Und so blieb er einsam. Aber zum Glück hatte er ja ganz viele Bilderbücher. Die las er sich immer laut vor und sah sich die Bilder an. Das machte Kuno glücklich.

Eines Abends, als er vor seinem Pilzhaus saß und in einem Buch las, hörte er ein komisches Geräusch: Ein leises Schaben und Trappeln und Rascheln … Kuno hörte auf zu lesen und sah nach, woher das Geräusch kam. Aber da war nichts zu sehen! Das war dem kleinen Zwerg unheimlich. Was war da los? Und als er weiterlas, da ging es wieder los: Schaben, trappeln, rascheln … Schnell ließ Kuno sein Buch fallen und sprang in die Richtung, aus der das Geräusch kam. Wieder war nichts zu sehen! Kuno wollte sich schon wieder aufrichten, als er eine ganz piepsige Stimme direkt unter sich hörte: „Lass das, du Riesenzwerg, geh sofort von mir runter!" Ganz vorsichtig stand Kuno auf – da sah er einen winzig kleinen Wurm, der ihn ganz wütend anstarrte. „Und", schrie der kleine

Wurm, „jetzt fühlst du dich wohl stark, was? Kleine Würmer zerquetschen, das kannst du, du Schuft!" Kuno staunte nicht schlecht: Da lag ein kleiner Wurm und schimpfte ihn aus. „Was machst du denn hier?", fragte Kuno völlig verdattert. „Warum schleichst du dich so an mich ran?" Aber der Wurm wurde schon wieder wütend: „Ich schleiche gar nicht, ich krieche! Würmer kriechen nun mal, du ober-schlauer Riesenzwerg! Ich bin nur hier, weil ich so gern Geschichten höre! Du liest hier doch jeden Tag laut Geschichten vor! Da krieche ich immer her und höre dir zu!" Kuno war ganz erstaunt und freute sich. Das hatte er gar nicht gemerkt. Wie schön, wenn jemand ihm gern zuhörte, dann war er ja gar nicht mehr alleine! „Schön", sagte er deshalb, „du kannst gern zuhören, darüber freue ich mich! Jetzt geh ich ins Bett, kommst du morgen wieder?" – „Klar, gerne!", sagte der Wurm. Froh ging Kuno ins Bett.

Am nächsten Abend saß der Zwerg schon früh mit einem seiner Bilderbücher vor dem Pilz. Und da war auch der kleine Wurm! Ganz stolz fing Kuno an, die erste Geschichte vorzulesen. Plötzlich hörte er wieder Geräusche: Knister, knaster, raschel, knack, kratz und knispel … Nein, der Wurm war das nicht. Der saß ganz ruhig da und wartete, bis die Geschichte endlich weiterging. Kuno sah sich um, aber da war niemand. Und als er weiterlas, da ging es wieder los: Knister, raschel, kratz und knispel… Das Geräusch kam von hinten! Und als Kuno sich blitzschnell umdrehte, sah er gerade noch einen Mäuseschwanz hinter einer Blume verschwinden. „Komm raus da, warum versteckst du dich?", rief er. Und hinter der Blume erschienen zwei Mäuse. „Wir haben uns angeschlichen, weil wir so gern deine Geschichten hören!", hauchte das Mäusemädchen. Und der Mäusejunge sagte: „Du kannst so schön vorlesen!" – „Na", sagte Kuno, „dann setzt euch doch zu uns!" – „Ja, los!", rief der Wurm, „aber schnell, ich will die Geschichte jetzt weiterhören!"

Und als Kuno, der kleine Zwerg, sich setzte und gerade den nächsten Satz gelesen hatte, da ging es doch schon wieder los: Schnüffel, schnupper, schnauf ... machte es von hinten und die Mäusekinder sprangen mit einem Satz hinter das Pilzhaus. Kuno sah sich erneut um: Vor ihm stand ein Igel. Mit seiner schwarzen Igelnase schnüffelte er in der Luft herum. „Ich rieche hier Geschichten!", sagte der Igel. „Kann ich auch zuhören?" – „Klar", sagte Kuno und dachte bei sich froh: Zuerst war ich ganz einsam, und jetzt habe ich ganz viele Freunde!

Ab diesem Tag gab es auf der Märchenwiese unter dem Pilz Lesestunden. Jeden Abend kamen mehr Tiere, und Kuno wurde ein sehr glücklicher Zwerg. Also, wenn du heute irgendetwas rascheln hörst oder schnüffeln oder knispeln und kratzen:
Mach dir keine Sorgen! Das ist bestimmt nur eine kleine Maus, die auch einmal eine Gutenachtgeschichte hören möchte.

Hexe Wirbelwind

Tief im Wald lebte eine kleine Hexe namens Wirbelwind. Wirbelwind war dort aber nicht allein: Mit ihr
wohnten noch ihre sechs Katzen Miez, Maunz, Max,
Martha, Mausi und Mim, ihre Eule Erika, ihre beiden Fledermäuse Flatter und Florian, ihr Schmetter-
ling Sam und ihr Teddy Tim. Sie wohnten alle in
einer kleinen Hütte. Manchmal war es ein wenig eng
mit all den Tieren. Aber das war Wirbelwind egal,
weil sie alle ihre Tiere lieb hatte. Oft, wenn Wirbelwind am Abend in ihr Bett wollte, war da kein Platz
mehr, weil alle Tiere auch mit ins Bett wollten. Und
dann war es für die kleine Hexe wirklich zu eng.
Wirbelwind war eine junge Hexe, nur 245 Jahre alt.
Für Hexen ist das nicht sehr alt. Sie musste sogar
noch in den Hexenkindergarten gehen. Dort ging sie
sehr gern hin, denn dort konnte sie mit anderen
Hexen spielen. Sie lernte im Kindergarten: zaubern,
Hexenbesen fliegen, verwandeln und viele andere lus-
tige Sachen. Morgens sprang Wirbelwind deshalb
immer frohgemut auf ihren Besen und flog los. Aber
sie setzte sich nicht einfach so auf den Besen, wie es
andere Hexenkinder tun würden. Nein, Wirbelwind
übte im Stehen zu fliegen. Das machte ihr vielleicht
Spaß! Die erwachsenen Hexen mochten das aber gar

nicht und schimpften, das sei einfach zu gefährlich. Aber das war unserer kleinen Hexe ganz egal. Wenn der Kindergarten zu Ende war, wurde die Hexe Wirbelwind oft von ihren Tieren abgeholt. Die warteten schon ungeduldig vor der Tür, bis sie kam. Dann rannten oder flogen sie, so schnell es ging, mit ihr zusammen nach Hause.

Eines Tages war Wirbelwind besonders übermütig. Sie dachte sich: „Mal sehen, ob ich im Stehen vielleicht auch Kurven fliegen kann. Das muss doch gehen!" Sie stand auf dem Besen und legte sich in die Kurven, dass es nur so rauschte. Wusch! Es ging um die Ecke und wieder – wusch! – in die andere Richtung. Das war spaßig! Wirbelwind wurde immer waghalsiger: flog hoch und runter, rechts und links und schließlich flog sie in die Stadt und fegte über die Häuser! „Juchu!", rief Wirbelwind, „ich bin die beste Fliegerin der Welt!" Die Eule sah ganz besorgt zu und rief: „Schuhuu, pass nur auf!" Und die Katzen hielten sich die Tatzen vor die Augen. Aber Wirbelwind wirbelte immer weiter. „Achtung, aufpassen!", rief plötzlich Flatter, ihre Fledermaus, „der Kirchturm!" Aber Wirbelwind war nicht schnell genug und so rauschte sie – krach! – mitten in den Turm hinein. Zum Glück landete sie im Turmfenster. Sie knallte im Turm mit dem Besen gegen die große Kirchturmglocke. „Bomm, bomm!", machte sie. Alle Leute sahen zum Kirchturm hoch, weil die Glocke plötzlich läutete. Sie sahen wie die kleine Hexe an ihrem Besen hing und aus dem Kirchturmfenster herausrauschte. Wirbelwind hielt sich mit beiden Händen fest und baumelte an ihrem Besen hin und her. „Oje!", rief die Eule, „du musst wieder auf deinen Besen hinaufklettern, sonst fällst du noch herunter!" „Weiß ich doch!", schrie Wirbelwind im Vorbeifliegen. „Ich weiß nur nicht, wie!" Zum Glück kamen die beiden Fledermäuse zu Hilfe. Die flatterten jetzt zu Wirbelwinds Füßen, die wild hin und her zappelten. Jede Fledermaus biss in einen der Schuhe. Dann flogen sie hoch und zogen die Füße einfach hinterher. Jetzt umklammerte Wirbelwind den Besen mit ihren Armen und Beinen. So fand sie genug Halt, um sich ganz hinaufzuziehen und sich auf den Besen zu setzen. „Auweia", sagte die Eule, „das war aber ganz schön knapp!" Und die Katzen trauten sich endlich, die Pfoten wieder von den Augen zu nehmen. Die Fledermäuse schwirrten stolz um Wirbelwind herum. Sie hatten sie schließlich gerettet!

Als Wirbelwind sich an diesem Abend in ihr Bett legen wollte, lagen schon alle ihre Tiere darin. Müde quetschte sich die kleine Hexe dazu. Dann gab sie Flatter und Florian einen dicken Kuss und schlief schnell ein. Und ratet mal, wovon die kleine Hexe Wirbelwind geträumt hat.

Vom Fliegen natürlich!

Der kleine Elefant

Der kleine Elefant,
Ist überall bekannt.
Er kommt aus Afrika,
Doch war er lang nicht da.
Er wohnt bei uns im Zoo,
Das ist schon ewig so.

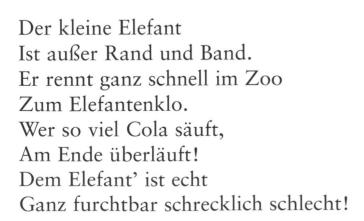

Der kleine Elefant,
Der frisst so allerhand.
Ein ganzer Korb voll Brot,
Pflaumen in Blau und Rot,
Pfannkuchen, gleich 60-mal,
Das macht ihn nicht grad schmal.
Dann trinkt er hinterher
Noch 40 Cola leer!

Der kleine Elefant
Ist außer Rand und Band.
Er rennt ganz schnell im Zoo
Zum Elefantenklo.
Wer so viel Cola säuft,
Am Ende überläuft!
Dem Elefant' ist echt
Ganz furchtbar schrecklich schlecht!

Der kleine Elefant
Hat ziemlich schnell erkannt:
So viel trink ich nie mehr
Und wenns auch Cola wär!
Pfannkuchen, 60 Stück,
Weis ich ab jetzt zurück.
Ich ess nie wieder so viel Sachen,
Die mir schrecklich Bauchweh machen.

Der kleine Elefant
Ist jetzt genug gerannt.
Der Tag war lang und schön:
Jetzt will er schlafen gehn.
Und müde rennt er da
Schnell zu seiner Mama
Und kuschelt sich ins Stroh.
Das machen Eles so!

Schlaf schön, du Elefant, gut Nacht!
Und fröhlich wieder aufgewacht!

Hella träumt

Hella wird plötzlich mitten in der Nacht wach. Sie hat schlecht geträumt. Sie macht die Augen auf und schaut umher. Es ist ganz dunkel in ihrem Zimmer. Sie blickt zum Fenster hinüber. Dort bewegt sich doch etwas! Was kann das sein? Hella fürchtet sich ein bisschen. „Mama!", ruft sie ganz laut und fängt an zu weinen. „Mama, es ist so unheimlich im Dunkeln." Und da kommt ihre Mama auch schon ins Zimmer. Sie nimmt Hella in den Arm und streichelt ihren Kopf. Leise flüstert sie Hella ins Ohr: „Meine kleine Hella, hab keine Angst mehr. Ich bin bei dir und passe auf dich auf!" Mamas Atem ist ganz warm und in ihren Armen fühlt sich Hella sicher und geborgen. „Ich hab schlimm geträumt. Und da war etwas am Fenster!", sagt Hella. „Hier am Fenster?", fragt ihre Mama „Na, da sehe ich mal gleich nach!" Ihre Mama geht zum Fenster. Sie zieht die Gardine zurück und macht das Fenster auf. Dann schaut sie hinaus, macht das Fenster wieder zu und sagt: „Nein, mein Schatz. Sei unbesorgt. Hier ist nichts." Und dann setzt sie sich noch eine Weile an Hellas Bett und singt ihr Lieblingsschlaflied vor: „Weißt du, wie viel Sternlein stehen …"

Dann steht Mama auf, gibt Hella noch einen dicken Kuss auf die Backe und sagt: „Ich lasse die Tür einen Spalt auf und das Licht im Flur an. Dann kannst du uns hören und wir hören dich. Schlaf jetzt schön und träum diesmal was ganz Schönes. Was möchtest du denn gerne träumen?" – „Von einer kleinen Katze", flüstert Hella ganz müde, „das wäre schön." Und wie sie es sich wünschte, hat Hella in dieser Nacht von einer kleinen Katze geträumt.

Die Maulwurfsbrille

Hast du schon einmal einen Maulwurf gesehen? Man sieht sie nicht oft. Sie leben unter der Erde. Maulwürfe haben ein weiches, braunes Samtfell. Sie haben eine schwarze Maulwurfnase und Krallen an den Pfoten. Mit denen können sie sich ganz schnell und tief in die Erde eingraben. Mit ihnen schaufeln sie lange Tunnel. Wenn sie sich nach oben auf die Wiese graben, gibt es dort einen Maulwurfshügel. Den hast du vielleicht schon einmal gesehen.

Markus war ein Maulwurf – und der beste Tunnelbauer der ganzen Wiese. Er konnte in Windeseile graben. Keiner war so flink wie er. Aber Markus hatte ein großes Problem: Markus war fast blind. Kneif mal die Augen zusammen, bis nur ein ganz kleiner Spalt offen bleibt. So wenig konnte Markus erkennen. Er konnte alles nur ganz verschwommen sehen. Und deshalb passierten ihm oft dumme Sachen: Er rannte gegen Wände und stieß sich die Nase an der Gartenschaufel. Einmal grub er sich direkt bis zur Hausmauer durch und knallte mit dem Kopf dagegen. Das tat sehr weh!

Eines Tages grub Markus gerade mal wieder blitz-schnell einen tiefen Tunnel. Er bohrte aus Versehen ein Loch in eine Höhlendecke. Plopp – fiel er hinunter in die tiefe Höhle. „Aua!", rief Markus und rieb sich seinen Kopf. „Wo bin ich denn nun wieder gelandet?", fragte er. Vorsichtig tastete er sich durch die Dunkelheit, als er eine leise Stimme sagen hörte: „Du bist in meiner Höhle gelandet. Und es gehört sich nicht, einfach von der Decke zu fallen!" Lang-sam gewöhnten sich seine Augen an die Dunkelheit. Ganz verschwommen sah er eine große Kröte. „Na", sagte die Kröte, „was machst du denn hier?" Markus kroch ein wenig näher an die Kröte heran, um sie bes-ser sehen zu können. Eigentlich sah sie ganz nett aus, fand er. „Entschuldigung. Ich kann so schlecht sehen! Ich habe mich wohl verbuddelt. Das passiert mir öfter."

Die Kröte sah Markus an und sagte: „Menschen setzen sich eine Brille auf, wenn sie schlecht sehen." „Tja, Menschen!", schnaufte Markus, „ich bin aber ein Maulwurf!" – „Ich habe eine Idee", sagte die große Kröte. „Hier in der Nähe ist eine Puppenfabrik. Ich weiß, dass einige der Puppen auch Brillen tragen. Vielleicht findet sich ja dort eine für dich, durch die du besser sehen kannst?" – „Meinst du wirklich?", fragte der Maulwurf ganz aufgeregt. „Das wäre toll! Los, lass uns schnell hingehen. Wo ist denn diese Fabrik?" Und so machten sich die Kröte und der Maulwurf auf den Weg.

Es dauerte gar nicht lange, da kamen sie in der Puppenfabrik an. Dort gab es viele Puppen, die alle erst noch zusammengebaut werden mussten. In einer Kiste lagen alle Puppenbeine. In einer anderen die Arme und so weiter. Ganz hinten in der Ecke fanden sie einen kleinen Karton voll mit Puppenbrillen. Markus probierte die erste Brille. Damit sah alles ganz schief und krumm aus. Schnell setze er die Brille ab und probierte die nächste. Damit wurde alles, was er ansah, winzig klein. Die nächste Brille machte alles riesengroß. Die Übernächste ließ alle Dinge grasgrün aussehen. Er hatte fast alle Brillen ausprobiert. Nur noch eine war übrig. Langsam setzte er sie auf seine Nasenspitze. Er konnte alles klar und deutlich sehen: die große Kröte, die ganze Fabrikhalle, alle Puppen, alle Farben. „Juchuuu, jippie!", rief Markus. „Ich kann

alles sehen!" Das war aufregend! Markus war so glücklich! Jetzt würde er nie wieder gegen eine Mauer laufen. Ab jetzt würde er alle seine Freunde schon von weitem sehen können.

Von diesem Tag an war Markus der glücklichste Maulwurf der Wiese. Und seine Brille setzte er nur noch nachts ab, wenn er schlief. Denn zum Träumen braucht man keine Brille.

Wo ist Teddy?

Janna kann ihren Teddy nicht finden.
Wo ist er nur? Kannst du ihn sehen?

Ist er vielleicht unter das Bett gefallen?
Nein, unter dem Bett ist er nicht!

Ist er vielleicht in den Schaukelstuhl geklettert?
Nein, da ist er nicht!

Liegt er vielleicht im Kühlschrank?
Nein, im Kühlschrank ist er nicht!

Oder ist er vielleicht im Hamsterkäfig?
Nein, beim Hamster ist er nicht!

Da ist er ja! Der Teddy sitzt in Jannas Rucksack.
So, Teddy, jetzt geht's ab ins Bett!
Gute Nacht und träum was Schönes!

Am Froschteich

An einem kleinen Froschteich lebten ganz viele kleine
Frösche. Sie quakten und fingen Fliegen. Sie lagen in
der Sonne. Sie hüpften von einem Seerosenblatt zum
nächsten und hatten viel Spaß.

Eines Tages kam ein großer, dicker Frosch herange-hüpft. Alle kleinen Frösche waren ganz aufgeregt: So etwas hatten sie noch nie gesehen! „Wo kommst du her?", fragte ein mutiger kleiner Frosch. „Quak, ich komme aus einem anderen Teich!", sagte der dicke Frosch. „Ich will mir die Welt ansehen!" Da wunder-ten sich die kleinen Frösche. Die Welt ansehen? Na so was! „Sag mal ...", fragte der mutige kleine Frosch, „... ich würde mir auch gern die Welt ansehen. Kann ich nicht mitkommen?" – „Mal, sehen", antwortete der dicke Frosch und kratzte sich mit seiner Flosse am Kopf. „Mal sehen, ob du dafür schon groß genug bist. Wie hoch kannst du denn springen?" Da sprang der kleine Frosch dem großen Frosch auf den Kopf. „So hoch!", rief er stolz. „Gut", lachte der dicke Frosch. „Wie laut kannst du denn quaken?" Da quakte der kleine Frosch so laut, dass der große sich die Ohren zuhalten musste. „Hör auf, das ist laut genug!", rief er. „Und wie gut kannst du Fliegen fan-gen?" Da schnappte sich der kleine Frosch eine Fliege direkt vor der Nase des großen Frosches weg. „Du bist ein sehr kluger kleiner Frosch", sagte der große. „Komm mit, wenn du willst!"
Und so wanderten der große und der kleine Frosch zusammen weiter durch die ganze Welt. Und wenn du mal irgendwo einen sehr dicken und einen sehr kleinen Frosch zusammen siehst, dann grüß sie schön von mir!

Der Drache Friedrich Fauch

Vor Friedrich hatten alle Angst. Die Hunde liefen weg, wenn er kam. Die Kinder schrien und versteckten sich vor ihm. Alle Menschen und Tiere fürchteten sich. Denn Friedrich war ein riesengroßer Drache.

Er war fast so groß wie ein Haus. Mit seinen großen Füßen zertrampelte er ungeschickt jedes Blumenbeet. Mit seinem riesigen Maul spuckte er Feuer, wenn er sich aufregte. Da kann man ja auch Angst bekommen, oder? Friedrich sah furchtbar gefährlich aus. Aber er war eigentlich sehr lieb.

Friedrich wollte so gern mal einen Hund streicheln. Er wollte so gern mal mit den Kindern spielen. Aber weil immer alle vor ihm wegliefen, war er ein sehr trauriger Drache.

Eines Tages saß Friedrich traurig vor seinem Haus und weinte sehr. Er hatte den ganzen Tag versucht, Freunde zu finden. Aber alle Menschen und Tiere waren immer nur weggerannt. Friedrich Fauch war sehr allein und unglücklich. Er weinte so sehr, dass sich seine Tränen in eine ganze Drachentränenpfütze verwandelten. „Keiner mag mich!", schluchzte der Drache. „Niemand will mit mir spielen!" Und die Tränen kullerten weiter sein großes Maul hinunter. Da hörte er plötzlich eine leise Stimme: „He, du riesengroßes Tränentier! Was machst du denn? Mein Nest wird ja ganz nass, wenn du so sehr weinst! Hör sofort auf damit!" Friedrich sah sich um. Er schaute nach links und nach rechts. Aber er konnte niemanden entdecken. „Wer spricht denn da?", fragte er erstaunt. „Na ich!", piepste die Stimme. „Hallo, hier unten bin ich, sieh mal hierher auf den Boden!" Und wirklich, als Friedrich hinunter sah, da saß zu seinen Füßen ein kleiner Vogel und sah ihn ganz ärgerlich an. „So große Ungeheuer wie du sollten schon mal aufpassen, was sie tun!", piepste der kleine Vogel empört. „Sieh dir an, wie ich aussehe!

Du hast mich ganz voll geweint! Was ist denn nur los mit dir?" Der Vogel war wirklich ganz nass und zerzaust, als sei er in den Regen gekommen. Friedrich schämte sich. Er hatte gar nicht gemerkt, dass er mit seinen Tränen jemanden nass gemacht hatte! „Entschuldigung", sagte er deshalb, „das wollte ich nicht! Ich war nur so traurig!" Der kleine Vogel sperrte erstaunt seinen Schnabel auf und fragte: „Du bist doch so ein starkes, schönes Drachentier. Was kann dich denn so traurig machen?" Da musste Friedrich schon wieder schniefen. „Weil keiner mit mir spielen will! Alle haben Angst vor mir. Keiner will mein Freund sein. Und nur deshalb, weil ich so groß bin." Und er schniefte in sein großes viereckiges Drachentaschentuch. „Na so was!", rief der Vogel. „Mit mir will auch keiner spielen, weil ich so klein bin! Sag, willst du nicht vielleicht mein Freund sein?" Da ließ Friedrich ganz überrascht sein Taschentuch auf den kleinen Vogel fallen. „Wirklich? Willst du das wirklich?", fragte er ganz aufgeregt. Und als der kleine Vogel unter dem Taschentuch wieder hervorgekrochen war, flog er hoch, setzte sich dem Drachen mitten auf die Drachennase und zwitscherte fröhlich: „Klar will ich! Ich suche doch auch einen Freund!"

Seitdem sind Friedrich und der kleine Vogel die besten Freunde. Und wenn sie nicht gestorben sind, dann sind sie das noch immer.

Wie Jan verloren ging

Jan ist mit seinen Eltern im Kaufhaus. Zuerst kaufen
sie sich Anziehsachen. Jan bekommt eine neue Hose.
Sein Papa kauft sich ein Hemd. Mit Mama gehen sie
zu den Schuhen. Mama probiert ganz viele Schuhe
an. Jan findet das sehr langweilig! „Gehen wir jetzt
zu den Spielsachen?", fragt er Papa. „Noch nicht",
sagt Papa. Jan findet das blöd. Er will sich doch die
Autos ansehen! Immer muss er warten. Jan setzt sich
auf den Fußboden. Da sieht er, dass die Spielsachen
gleich nebenan sind!

Schnell krabbelt Jan an den Schuhregalen entlang zu den Spielsachen. Was es hier alles gibt! Feuerwehrautos, Laster, kleine Flitzer. Aber auch viele Schmusetiere: einen Hund, einen Affen, viele Teddys und eine große Stoffschlange. Jan spielt mit all den Sachen. Auf einmal merkt er, dass er seine Eltern gar nicht mehr sehen kann. Die sind ja weg! Jetzt bekommt Jan einen großen Schreck. Wo sind sie denn? Jan sucht seine Eltern, aber er kann sie nicht finden. Jetzt hat Jan gar keinen Spaß mehr an den Spielsachen. Er ist so traurig, dass er anfängt zu weinen. Da kommt eine Frau auf ihn zu und fragt: „Was ist denn passiert?" – „Ich finde meine Eltern nicht mehr!", weint Jan. – „Komm, ich helfe dir suchen", sagt die Frau. Aber da kommt Papa schon um die Ecke und ruft: „Da bist du ja, du kleiner Ausreißer!" – „Papa!", ruft Jan, und sein Vater nimmt ihn auf den Arm. „Das nächste Mal bleibst du bei uns", sagt er zu Jan. Aber er ist nicht böse. Er gibt Jan sogar einen Kuss auf die Nase und verwuschelt seine Haare. Jan ist so froh! Auf Papas Arm ist alles in Ordnung. Und jetzt hat er auch wieder Lust zu spielen.

Schlappohr, flieg

Es war einmal ein kleiner Hund namens Schlappohr, der hatte riesengroße Ohren.

Seine Ohren waren so groß, dass er beim Laufen immer über sie stolperte.

Wenn sich Schlappohr abends in sein Hundekörbchen legte, konnte er sich mit seinen Ohren zudecken. Die anderen Hunde lachten ihn deswegen manchmal aus. Aber sein Hundepapa sagte immer: „Ach mein kleines Schlappohr, du bist doch etwas ganz Besonderes!"

Eines Tages ging Schlappohr spazieren. Er kam an einen hohen Turm. Schnell stieg er die Treppen hoch. Von da konnte er ganz weit gucken! Er wollte noch mehr sehen und kletterte auf die Mauer. Er beugte sich nach vorne und – schwupp – fiel er einfach hinunter.

In seiner Angst flatterte er ganz wild mit seinen Schlappohren. Und plötzlich merkte er, dass er fliegen konnte! Seine riesigen Ohren waren wie Flügel.

Alle Hunde staunten, und nie wieder hat einer über Schlappohr gelacht. Und da wusste der kleine Hund mit den großen Ohren: Er war etwas ganz Besonderes.

Die Blumenelfe

An einem schönen Morgen lief Mia durch die Blumenwiese hinter ihrem Haus. Die Sonne schien warm und Mia rannte durch das hohe Gras mit den vielen Blüten. Sie lief immer im Kreis, bis ihr ganz schwindlig wurde. Plumps – ließ sie sich ins Gras fallen. Die Halme kitzelten ihr Gesicht und die vielen bunten Blüten dufteten himmlisch. Mia wälzte sich auf den Bauch. Sie stützte die Arme auf und sah sich die Blüten ganz genau an, bis sie etwas Seltsames bemerkte. Da in den großen roten Blüten vor ihr, bewegte sich etwas. Etwas Kleines, Buntes. Ob das ein Tier war? Eine Libelle vielleicht oder eine Raupe? Mia kniete sich vor die Blüte, um alles ganz genau zu sehen. Da schaute sie ein winziges Gesicht an! Vor lauter Schreck bekam Mia Schluckauf und saß nun hicksend und staunend im Gras. In der Blüte saß ein ganz kleines Mädchen und schaute erschrocken zu Mia hoch! Mia rieb sich die Augen, und das winzige Kind in der Blume sprang auf und hob abwehrend beide Hände. „Au weia, du darfst mich gar nicht sehen, Menschenkind!", rief das Blütenmädchen verzweifelt. Mia schüttelte verblüfft den Kopf. Das Blütenmädchen konnte sogar reden! „Wer bist du denn?", fragte sie die kleine Gestalt. „Eigentlich darf ich das

niemandem erzählen. Aber du hast mich jetzt ja sowieso schon entdeckt. Ich glaube, ich erzähle dir alles. Ich bin nämlich eine Blumenelfe", antwortete das winzige Mädchen, „und ich heiße Lila. Wir Blumenelfen wohnen in den Blüten und passen auf sie auf. Und wer bist du?", fragte die Elfe. „Ich heiße Mia", sagte Mia aufgeregt. „Ich wusste gar nicht, dass es Blumenelfen gibt!" Da flüsterte die Elfe: „Ich habe ja gesagt, dass das niemand wissen soll! Es ist ein Geheimnis! Wir Elfen haben Angst vor euch Menschen. Deshalb möchten wir nicht entdeckt werden. Und weil du mich jetzt gesehen hast, bitte ich dich, niemandem etwas zu verraten." – „Ich verrate niemals Geheimnisse!", sagte Mia. „Wollen wir Freundinnen sein?" Die kleine Blumenelfe strahlte über das ganze Gesicht. „Oh ja, gern!", rief sie. „Ich wollte schon lange eine Freundin haben!"

Seither treffen sich Mia und Lila sich fast jeden Tag und spielen miteinander. Sie haben viel Spaß zusammen. Und es gibt viele Spiele, die Elfen und Menschen miteinander spielen können. Verstecken zum Beispiel – da sind die Elfen besser. Und Wettrennen – da gewinnt meistens Mia. Das sind die Lieblingsspiele der beiden Freundinnen.

Wenn du also morgen Früh hinausgehst und irgendwo Blumen siehst, dann sei vorsichtig. Vielleicht wohnen in ihnen ja auch Blumenelfen!

Das Krokodil vom Nil

Das kleine Krokodil
Wohnt ganz weit weg, am Nil.
Es schwimmt herum den ganzen Tag
Und planscht so viel es will.

Das kleine Krokodil
Hat große Zähne, davon viel.
Es schnappt mit seinem Riesenmaul
Sich alles, was es will.

Das kleine Krokodil
Einfach nicht schlafen will!
Es zappelt immer hin und her
Und liegt einfach nicht still!

Komm, kleines Krokodil
Schlaf ein und werde still.
Komm, kuschle dich nur an geschwind
Und schlaf so ruhig wie dieses Kind,
Das jetzt auch schlafen will.

Nachts im Zoo

Der Tag neigt sich dem Ende und draußen wird es dunkel. Die Zoobesucher gehen nach Hause. Die Zoowärter haben Dienstschluss. Nur noch ein Nachtwächter zieht seine Runden und passt auf.
Manche Tiere schlafen schon: Die meisten Vögel haben ihre Köpfe unter die Flügel gesteckt. Einige piepsen leise im Traum. Erst morgen Früh werden die ersten Sonnenstrahlen sie wieder aufwecken. Im Zoo kehrt Ruhe ein – denkst du vielleicht! Die Nachtigall, die ist gerade erst aufgewacht und singt ihr schönstes Lied. Sie gehört zu den Vögeln, die erst am Abend singen. Die Affen liegen eng aneinander gekuschelt im Affenhaus. Ein kleiner Affe schmiegt sich an seine Mama. Affenbabys nuckeln genau wie Menschenbabys am Daumen. Und auch dieser kleine Affe hat seinen Daumen im Mund, wenn er müde wird. Ein großer Affe ist aber noch ganz munter. Er turnt hoch in den Bäumen, schwingt sich von Ast zu Ast, wie der beste Artist der Welt. Jetzt macht er einen großen Satz in die Luft. Und dann hängt er kopfüber von einem Seil hinunter. Mit seinen Zehen hält er sich fest: Das können wir Menschen nicht! Der Elefant steht in seinem Stall und frisst noch ein paar Heuballen. Ein Elefant kann sehr viel fressen: Einen

Heuballen, ein ganzes Brot und zwei Eimer Wasser sind nur ein kleiner Imbiss für ihn! Bald wird er schlafen gehen. Dann legt er sich im Elefantenhaus auf sein Strohlager. Er macht seine Augen bis morgen Früh zu. Die Fledermäuse sind gerade erst aufgestanden. Den ganzen Tag haben sie verschlafen. Sie hängen kopfüber an den Ästen und lassen sich baumeln.

Aber jetzt falten sie ihre großen Flügel auf und flattern ein paar Runden. Sie haben spitze Ohren und spitze Zähne. Aber sie tun keinem Menschen etwas zuleide. Die Eulen spannen ebenfalls erst am Abend die Flügel aus. Mit ihren großen Augen können sie sogar im Dunkeln alles gut erkennen. Wenn du eine Eule wärest, dann brauchtest du am Abend niemals ein Licht, um dir Bilderbücher anzusehen. Das könntest du dann genauso gut im Dunkeln. „Schuhu!", ruft die Eule und erhebt sich in die Luft. Tief unter sich sieht sie den schwarzen Panter. Er sieht aus wie ein riesengroßer schwarzer Kater. Der Panter ist auch noch nicht müde. Er reckt sich und leckt sein glänzendes Fell. Den ganzen Tag hat er sich nur ausgeruht. Gemütlich lag er auf einem Baumstamm ausgestreckt. Er hat sich nur gerührt, wenn es unbedingt nötig war. Aber jetzt springt er hoch und will sich endlich bewegen. Blitzschnell rennt er durch sein Gehege. Der Panter springt mit einem Satz auf einen Baum. Im Löwenkäfig ist das Löwenbaby wieder aufgewacht. Die Löwenmama leckt ihm mit ihrer großen, rauen Zunge über die Nase und die Ohren. Das ist ein Löwenkuss. „Schlaf schön ein!", soll das heißen. Aber das Baby hat noch gar keine Lust zu schlafen. Viel lieber möchte es mit den anderen Tieren die Nacht erkunden.

Was ist das für ein seltsames Geräusch? In der Ferne brummt ein Bär ganz tief. Er will endlich schlafen, aber die anderen Tiere machen einen solchen Krach, dass er immer wieder aufwacht.

Der Nachtwächter dreht seine Runde. Er sieht nach, ob es den Tieren gut geht. Er gähnt ein bisschen, weil er langsam müde wird. Aber der Wächter muss trotzdem die ganze Nacht wach bleiben. Wenn man müde ist, ist das ganz schön schwer. Was für ein Glück – wir dürfen schlafen! Darum deck dich gut zu, schlaf ein und träum was Schönes!

Der Drachentag

Bernd kam herein geschossen wie ein Pfeil. „Papa, Papa", rief er. „Es ist schön draußen und es ist windig! Bitte, Papa, lass uns doch an den Deich fahren und unsere Drachen steigen lassen!" – „Au ja", rief seine Schwester Lena, „das wäre toll!"

Der Deich ist ein ganz langer Hügel. Er geht am Meer entlang und ist so etwas wie ein Schutzwall, damit das Meer nicht das Land überspülen kann. Dort kann man herrlich Drachen steigen lassen, denn dort gibt es oft viel Wind.

Die Kinder hatten sich ihre Drachen selbst gebaut. Und seit die Drachen fertig waren, warteten alle auf Wind und gutes Wetter. Endlich war es so weit! Die ganze Familie stieg ins Auto, sogar Oma kam mit.

Einen Drachen steigen zu lassen, ist gar nicht einfach. Papa und Lena bekamen das aber gut hin. Ihre Drachen stiegen immer höher und höher. Super sah das aus, wie die Drachen da mit ihren freundlichen Gesichtern auf sie runtergrinsten! Sie tanzten hin und her und zerrten ziemlich an den Drachenschnüren. „Neee, nee!", rief Lena, „bleib schön hier, hau nur nicht ab!" – „Der ist schon zu weit oben! Der hört dich nicht!", schrie Bernd ganz außer Atem. Denn auch sein Drachen zog ganz schön. Oma und Mama wollten auch einen Drachen in die Luft bringen. Sie konnten aber beide nicht gut rennen. Papa half ihnen und so schafften sie es doch. Die drei Familiendrachen tanzten hoch oben hin und her. Da kamen ein paar

Möwen vorbeigeflogen. Fast wäre eine Möwe sogar mit einem der Drachen zusammengestoßen! Lenas Drache zerrte jetzt so stark an seiner Schnur, dass sie sich manchmal ganz schön anstrengen musste, um ihn festzuhalten.

Am Abend kamen alle müde und zufrieden nach Hause. Und als sie im Bett lagen, da sagte Lena zu Mama: „Und morgen lass ich meinen Drachen wieder steigen!" – „Na", sagte Mama, „dann schlaf jetzt schnell ein, damit du morgen auch ausgeruht bist!" Und Lena machte auch gleich die Augen zu.

Die Schlafmaus

Hast du schon einmal eine Schlafmaus gesehen?
Die gibt es überall, man muss nur genau hinsehen.

Wenn du einen ganz hohen Turm gebaut hast, dann
kommt eine Schlafmaus gekrochen und – schwups –
fängst du an zu gähnen.

Wenn du spazieren gehst, kommt eine Schlafmaus
gerannt und – schwups – werden deine Beine ganz
müde. Dann müssen Mama und Papa dich tragen.

Wenn du ganz viel getobt hast, kommt die Schlafmaus leise angeschlichen und – schwups – willst du nur noch mit deinem Teddy schmusen.

Und wenn du im Bett liegst, kuschelt sich die Schlafmaus ganz leise an dich und flüstert: „Gute Nacht, schlaf schön!" Und – schwups – da schlaft ihr beide ganz schnell ein.

Hexenhaus um Mitternacht

Im Hexenhaus um Mitternacht
Da ist die Hexe aufgewacht.
„Ich bin so hungrig!", ruft sie laut
Und hat den Kessel aufgebaut.

Die Katze ist auch aufgewacht.
Die kleine Hexe hat gelacht.
„Na, Mäusefänger, nicht so schlimm.
Ich koch uns was – Simsalabim!"

Die Hexe macht das Feuer an,
Damit sie sich was kochen kann.
Am liebsten hätte sie Kakao
Mit ganz viel Zucker drin, genau!

Sie rührt und rührt.
Es kracht und klirrt,
Der Kessel singt,
Die Katze springt.
Der Kessel fällt,
Die Hexe hält.
Und sieht voll Schreck:
Die Milch fließt weg!

„Ojemine!
Verschüttet seh'
Ich dort die Milch.
Du kleiner frecher Katzenknilch!
Das war nicht nett!
Nun ab ins Bett.
Deck dich gut zu
Und komm zur Ruh."

Gut Nacht!
Und fröhlich aufgewacht!

Leas Ballonfahrt

Lea liebte Ballons. Am liebsten wäre sie immer mit einem Ballon an der Schnur herumgelaufen. Ihr allergrößtes Vergnügen bestand darin, einen Luftballon hoch in die Lüfte fliegen zu lassen. Und zu jedem Fest, ob Weihnachten, Ostern oder Geburtstag, wünschte sie sich immer Luftballons. Eines Tages, als sie mit ihren Eltern einen Ausflug machte, sah sie ganz hoch über sich einen riesengroßen Ballon fliegen. An dem Ballon hing ein Korb. Und aus diesem Korb winkten Menschen! Da flogen doch wirklich Leute mit einem Ballon. „Ballonfahren nennt man das", sagte Papa. „Kann ich das auch mal machen?", fragte Lea ganz aufgeregt. „Mal sehen", meinte Papa.
Eine Woche später hatte Lea Geburtstag. Am Geburtstagsmorgen war sie schon ganz früh wach. Es war noch fast dunkel, als sie die Treppe hinunterrannte. Lea wollte nachsehen, ob der Geburtstagstisch schon gedeckt war. Und als sie die Tür öffnete, waren Mama und Papa schon unten. Die Kerzen brannten auf ihrem Geburtstagskuchen. Und in der Stube schwebten ganz viele Luftballons an der Decke. „Hurra, ich habe Geburtstag!", rief Lea aufgeregt. Dann sangen ihre Eltern: „Wie schön, dass du geboren bist!" Lea jauchzte vor Freude und fing sich einen Luftballon.

Er hatte eine lange Schnur, an der etwas hing – ein Zettel! Lea nahm den Zettel ab und betrachtete ihn. Darauf war ein riesengroßer Ballon abgebildet. An ihm hing ein großer, viereckiger Korb. „Das ist unser Geschenk für dich", sagte ihr Papa und nahm sie auf den Arm. „Heute Nachmittag machen wir beide zusammen eine Ballonfahrt!"

Am Nachmittag standen Lea und ihr Papa auf einer großen Wiese. Und vor ihr zerrte der große Heißluftballon an den Seilen, die ihn auf der Erde hielten.

Als Lea in den Korb gehoben wurde, war ihr zuerst etwas mulmig. Aber als der riesige Ballon sich mit ihr, ihrem Papa und den anderen Ballonfahrern ganz langsam in die Luft erhob, da quietschte Lea vor Vergnügen. Sie winkte ihrer Mama, die beim Auto blieb, fröhlich zu. „Wir fliegen, wir fliegen!", rief sie und zeigte ihrem Papa, wie klein alles von oben aussah. Ihr Auto sah aus wie ein Spielzeug. Leas Mama konnte man kaum noch sehen. Die Häuser sahen aus wie kleine Puppenhäuser. Sie flogen über eine Wiese hinweg, auf der Tiere grasten. Lea konnte gerade noch erkennen, dass es Kühe waren. Ganz schön winzig sahen die aus. So winzig klein, dass Lea glaubte, sie könnte sie in die Hand nehmen. Der Wind blies Lea kräftig in die Haare. Sie hielt die Hand ihres Papas ganz fest. Es war ganz schön kalt im Ballon und so kuschelte sich Lea eng an Papas Bauch. Fast drei ganze Stunden waren sie im Ballon unterwegs. Nun senkte sich der Ballon langsam und sie steuerten auf den Boden zu. Dann rief der Ballonkapitän laut: „Achtung! Jetzt gut festhalten! Wir landen dort hinten auf der Wiese!" Und dann sank der Ballon zu Boden. Bei der Landung rüttelte es ganz schön kräftig und alle wurden ziemlich durchgeschüttelt. Als alle aus dem Korb ausgestiegen waren, rannte Lea, so schnell sie konnte, zu ihrer Mama. Sie fiel ihr in die Arme und sagte: „Das war mein allerschönster Geburtstag!"

Woher die Träume kommen

Jeden Abend macht sich der Sandmann auf die Reise. Er füllt seinen Sack mit Schlafsand. Wenn er ein Kind damit bestreut, wird es sofort müde und schläft ganz schnell ein. Der Sandmann sieht in seinem dicken Buch nach, wann du ins Bett gebracht wirst. Und dann steigt er auf eine Reisewolke. Damit können Sandmänner fliegen! Und schon saust er auf der Wolke los. Heimlich, still und leise schwebt er heran. Und ohne dass du es merkst, streut er etwas Schlafsand in dein Zimmer. Dann wartet er noch ein bisschen vor deinem Fenster, bis du eingeschlafen bist und schickt dir einen schönen Traum.

Wie er das macht? Ganz einfach: Er hat einen kleinen Kasten mit Traumsternen dabei. Wenn er ihn öffnet, schwebt sofort ein wunderschöner kleiner Traumstern hervor. Der quetscht sich dann vorsichtig durchs Fenster, schwebt zu deinem Bett hinüber und flüstert dir ganz leise deinen Traum ins Ohr. Dann lächelt der Sandmann vor dem Fenster. Und wenn er sieht, dass alles gut ist und du schön träumst, fliegt er ganz leise weiter zum nächsten Kind, das müde ist.

Eine Sandburg für alle

Melanie und Kai machen mit ihren Eltern Urlaub in Italien. Sie waren schon früh munter und frühstückten. Kai schaufelte sich sein Müsli in den Mund, als wäre er ein Schaufelbagger. „Ws mchn wü hte?", nuschelte er dabei und sah seinen Papa an. „Moni!", rief Papa ganz laut, „komm schnell! Ich glaube unser Sohn hat über Nacht seine Sprache verloren. Er spricht kein Deutsch mehr. Ich kann ihn jedenfalls nicht richtig verstehen!" Kai wollte sich beschweren, aber sein Mund war viel zu voll. Mama war inzwischen auch dazugekommen. Sie sah Papa an und sagte: „Ganz ruhig, mein Lieber. Ich glaube, der Zauber wirkt nicht mehr lange. Versuch es noch mal, Kai. Was wolltest du sagen?" Kai schluckte die letzten Müslireste hinunter und sagte grinsend: „Ihr seid sehr witzig! Was machen wir denn heute?" – „Ich möchte gerne an den Strand, das Wetter ist so schön!", schlug Mama vor. „Habt ihr nicht auch Lust darauf?" – „Wenn du willst, will ich auch", sagte Papa, „und ihr Kinder?" Da riefen Kai und seine Schwester Melanie gleichzeitig: „Ich will!" Die Sachen hatten sie bald gepackt: Luftmatratzen, Handtücher, Sonnenmilch und eine Riesenschaufel zum Burgenbauen. Es dauerte gar nicht lange, da waren alle am Strand.

Mama lag unter einem bunten Sonnenschirm und las ein Buch. Papa und die Kinder fingen schon mal an, eine Sandburg zu bauen. Das machte ihnen Spaß: Kai sammelte Muscheln als Schmuck für die Burg. Melanie und Papa bauten um Mama herum einen großen, kreisrunden Wall. Darauf wurden dann noch Sandtürme gesetzt.

Anschließend legten sie mit Muscheln die tollsten Muster. Und am Ende saßen alle zusammen stolz in ihrer Sandburg. Die Kinder wollten gar nicht mehr weg vom Strand. Abends im Bett hatten Kai und Melanie richtigen Muskelkater. Kai war total müde und Melanie stöhnte: „War das anstrengend heute!" Dann sagte sie zu ihrer Mama: „Aber trotzdem. Morgen würde ich das sofort wieder machen!" Und dann schliefen die beiden ein und träumten von riesigen Sandburgen und von tausenden Muscheln.

Südwind

Der Südwind, der ist weit gereist,
Er war sogar in Afrika.
Dort ist es heiß, denn dort scheint meist
Die Sonne, fast das ganze Jahr!

Der Südwind hat im Urwald dort
Den Affen Max vom Baum geweht.
Der hielt sich mit dem Schwanz sofort
Am Ast fest, was bei Affen geht.

Heut Abend ist der Südwind hier
Und weht ganz sacht zum Fenster rein.
Von Afrika erzählt er dir
Und flüstert leise: Komm, schlaf ein.

Flatter, die Fee

Flatter war eine Klingelfee. Die kennst du nicht? Es gibt sie aber, im Feenland. Und manchmal trifft man sie auch im Stadtpark. Feen sind so klein wie dein Daumen. Sie haben winzige, durchsichtige Flügel. Wenn sie damit losflattern, liegt ein leises, feines „Klingelingeling" in der Luft. Und deshalb nennt man sie auch Klingelfeen. Klingelfeen haben immer viel zu tun: Sie müssen sich um Tiere kümmern, um Blumen, um Bäume – überall passen sie auf.

Flatter war eine besonders hübsche Fee. Sie hatte viele blonde Löckchen, ein liebes Gesicht und leuchtend grüne Augen. Ihr Zauberstab war aus reinem Gold. Heute war die kleine Fee den ganzen Tag unterwegs. Flatter wusste schon gar nicht mehr, wo ihr der Kopf stand.

Zuerst musste sie einen kleinen Vogel retten, der aus dem Nest gefallen war. Kaum war der kleine Vogel wieder bei seinen Eltern, da wurde Flatter zu einer Schnecke gerufen. Die war in ihrem Schneckenhaus stecken geblieben und konnte weder vor noch zurück. Zum Glück kam Flatter auf eine Idee: Sie rieb das Schneckenhaus mit Seife ein und – flutsch – war die Schnecke wieder frei. Kaum dass sich Fee Flatter etwas ausruhen wollte, musste sie schon wieder los. Eine kleine Haselmaus saß in einer Falle fest und wenn Flatter ihr nicht geholfen hätte, wäre sie sicher nicht mehr freigekommen.

So sauste Flatter von einem Notfall zu nächsten, bis sie ganz erschöpft war. Ihr schönes Kleid war ganz schmutzig und zerrissen. Sie war so müde, dass sie nur noch schlafen wollte.

Doch da merkte sie, dass sie etwas verloren hatte: ihren Zauberstab! Flatter erschrak. „Ohjeminie", sagte sie verwirrt vor sich hin. „Wo kann denn bloß mein Feenstab sein? Ich habe ihn verloren! Aber wann? Ist er mir vorhin heruntergefallen oder habe ich ihn irgendwo liegengelassen? Flatter überlegte und überlegte. Aber sie konnte sich nicht erinnern. Sie war ratlos. Ohne ihren Feenstab konnte sie doch nicht mehr zaubern. Und das Schlimmste: Der Stab war auch der Schlüssel ins Feenreich. Ohne ihn konnte Flatter nicht mehr nach Hause! Die Fee Flatter kroch überall herum und suchte den Stab in jeder Ecke.

Sie schaute im Gebüsch nach, unter der Blume, im Gras nebenan, oben in der Blüte … Aber ihr Stab war nicht zu finden! Nachdem sie eine ganze Stunde gesucht hatte, setze sie sich erschöpft hin. Sie legte ihre Hände auf die Augen und fing verzweifelt an zu weinen. „Ich komme nie wieder nach Hause!", schluchzte die Fee. „Niemals!"

Da raschelte etwas im Gras. Es war die kleine Haselmaus, der Flatter am Nachmittag geholfen hatte!

„Wie schön!", rief Flatter, „kannst du mir vielleicht helfen? Ich habe meinen Feenstab verloren und kann ihn nirgends finden!" – „Klar", sagte die Haselmaus, „das ist doch kein Problem, den finden wir schon." Und schon wuselte sie los. Sie schnüffelte in jeder Ecke. Sie drehte jedes Blatt zweimal um und suchte und suchte.

Durch die ganze Unruhe wurden die Vögel auf dem Baum aufmerksam. Auch das Vogeljunge vom Vormittag steckte jetzt seinen Schnabel aus dem Nest und zwitscherte: „Was ist denn los?" – „Fee Flatter kann ihren Feenstab nicht mehr finden!", rief die Maus nach oben. Als die Vogeleltern das hörten, flogen sie sofort los, um auch aus der Luft zu suchen. Es dauerte gar nicht lange, da sahen sie ganz unten, in einem tiefen Brunnen etwas Goldenes funkeln. Das war der Feenstab! „Dort!", riefen die Vogeleltern, „Da unten liegt er! Aber wir können nicht hinfliegen. Er ist zu tief in den Brunnen gefallen!" Der Brunnen! Jetzt erinnerte sich Fee Flatter wieder. Das war doch ihr letzter Notfall gewesen. Sie hatte einem Frosch herausgeholfen, der versehentlich in den Brunnen gehüpft war. Dabei hatte sie offenbar ihren Feenstab liegengelassen. Flatter und die kleine Haselmaus kletterten sofort auf den Brunnenrand. Aber schnell merkten sie, dass sie auch nicht in den Brunnen klettern konnten. Die Wände waren viel zu steil. Da saß die arme Fee oben am Brunnenrand und fing wieder an zu weinen. Wie sollte sie denn nur an ihren Feenstab kommen? „Sei doch nicht so traurig", versuchte die Maus sie zu trösten. „Wir schaffen das schon irgendwie. Warte ab!" Eine Schnecke kam hinzu und sagte völlig außer Atem: „Hallo. Ich habe gehört, dein Feenstab liegt da unten. Ihr könnt ihn wohl nicht heraufholen? Für mich ist das kein Problem:

Ich kann auch Wände rauf- und runterkriechen." Die Schnecke war den langen Weg herangekrochen, um Flatter zu helfen. „Wunderbar!", rief Flatter. Und so kroch die Schnecke auf ihre langsame Schneckenart geradewegs die steile Brunnenmauer hinab. Es dauerte eine ganze Stunde, bis die Schnecke wieder oben am Brunnenrand ankam – aber in ihrem Maul hatte sie den goldenen Feenstab. „Hurra!", rief Flatter, „ihr seid die besten Freunde der Welt! Ihr habt mir so sehr geholfen!" Aber die Tiere lachten nur und die Vogeleltern sagten: „Du hast uns allen ja auch geholfen. Wie schön, dass wir nun auch etwas für dich tun konnten!"

Glücklich schwenkte Flatter ihren Feenstab, dass nur so die Funken stoben und – Simsalabim – war die Wiese festlich geschmückt: Laternen hingen in den Bäumen. Auf einem großen Tisch standen die wunderbarsten Speisen und Getränke für alle: Beeren für die Vögel, Käse für die Haselmaus, dicke, grüne Salatblätter für die Schnecke und ein großes Eis für die Fee. Und wenn sie noch nicht ins Bett gegangen sind, dann feiern sie vielleicht noch immer.

Fuchs und Maus

„Füchschen", sagt die Fuchsmama,
„Hör mir zu und lass dir sagen:
Mäuse sind zum Fressen da,
Die gehören in den Magen!
Darum sei ein braves Kind
Und friss deine Maus geschwind!"

Ängstlich sah die kleine Maus
Zu dem kleinen Fuchs hinüber.
„Ach, gleich ist mein Leben aus!",
Dachte sie und rief: „Mein lieber
Kleiner Fuchs, ich bitte dich:
Sei so gut und friss mich nicht!"

„Komm!", rief da das Fuchskind schnell,
„Komm, solange Mama wegsieht!
Schnell, setz dich hier auf mein Fell
Und dann raus, bevor sie's mitkriegt!
Nichts wie los, ganz still und leise
Machen wir uns auf die Reise!"

Und so rettete der Fuchs
Unserer kleinen Maus das Leben.
Leise, ohne einen Mucks
Schlichen sie davon soeben.
Und im Wald, da sieht man nun,
Fuchs und Maus zusammen ruhn.

Wurzel, der Wichteldoktor

In manchen Wäldern kann man Wichtel finden. Sie leben tief im Wald und sind sehr scheu. Und sie können sich gut verstecken. Vor Menschen laufen sie weg. Deshalb sieht man sie auch so selten. Oder hast du vielleicht schon mal einen Wichtel gesehen?
Wichtel verstehen die Sprache der Tiere. Viele von ihnen sind Doktoren. Sie heilen Tiere und Pflanzen. Wurzel war auch so ein Doktor. Er lebte tief im Wald. Sein Haus war im Stamm eines alten Baumes versteckt. Hier lebte er mit seiner Hausschnecke Hilda. Für Wichtel sind Schnecken so, wie Hunde für uns Menschen. Mit ihnen kann man gut spielen und sie begleiten Wichtel überallhin. Die Schnecke Hilda war fast so groß wie Wurzel selbst und natürlich ziemlich langsam. Aber sie war kräftiger als er und konnte viel tragen.
Jeden Sommer musste Wurzel mit seiner Schubkarre losgehen, um Vorräte für den Winter zu sammeln. Im Winter wächst ja nur ganz wenig, was man essen kann. Wichtel sammeln deshalb alles, was sie gut aufheben können. Wurzel sammelte Nüsse, Bucheckern und Samen ein. Er grub nach wilden Möhren und anderen essbaren Wurzeln im Wald. Er suchte sich Beeren und Kräuter, die man trocknen konnte.

Jeden Tag machte Wurzel seine Runde bei allen kranken Tieren. Er besuchte den Fuchs und machte ihm einen neuen Umschlag um seinen kranken Fuß. Er besuchte die Haselmaus, die hatte sich erkältet und Wurzel gab ihr Hustensaft. Er besuchte die alte Eule. Sie hatte Halsweh. Wurzel gab ihr einen warmen Schal und einen Saft zum Gurgeln. Und er musste noch zur Blumenelfe Lila, die hatte sich nämlich einen Flügel eingeklemmt und brauchte eine Flügelsalbe. Ihr merkt schon, Wurzel hatte ziemlich viel zu tun und auch zu tragen. Und deshalb half ihm seine Schnecke Hilda. Sie begleitete ihn auf allen seinen Wegen. Als er die Blumenelfe Lila verarztet hatte, lud sie Wurzel und Hilda auf eine Tasse Tee ein. Gemeinsam saßen die drei auf der Bank vor dem Feenhaus. „Hast du denn schon genug Vorräte für den Winter zusammen?", fragte Lila. Da seufzte der Wichtel: „Nein, leider noch nicht. Mir fehlt noch viel." – „Oh, dann habe ich einen guten Tipp für dich", antwortete Lila: „Gar nicht weit von hier steht mitten im Wald ein großer Apfelbaum. Seine Äpfel sind reif, hol dir doch einen!" Dem Wichtel lief das Wasser im Mund zusammen. Äpfel waren seine Lieblingsspeise. Lila führte Wurzel und Hilda gleich zu dem Apfelbaum. Sie pflückten einen großen Apfel. Er passte gerade so in Wurzels Schubkarre, so riesig war er. Mit diesem Apfel würden sie über den Winter kommen. Und was Wurzel alles daraus machen konnte! Apfelmus, Apfelpfannkuchen, Apfelsaft … Sie waren noch nicht weit gekommen, da hörte Wurzel ein leises Weinen. Am Weg hockte ein kleines Eichhörnchen. „Warum weinst du?", fragte Wurzel. „Ich hab solch einen Hunger", sagte das Eichhörnchen. Und weil Wurzel so ein netter Wichtel war, gab er ihm etwas von seinem Apfel. Gerade wollten Wurzel und Hilda weitergehen, da hörten sie noch jemanden weinen! Ein Häschen saß schluchzend unter einem Baum. Wurzel fragte: „Magst du ein Stück Apfel?" Und so ging es ständig weiter: Überall waren hungrige Tiere. Und Wurzel gab allen etwas ab, bis er am Ende selbst gar nichts mehr übrig behielt. Ohne Vorrat für den Winter waren sie heute zu Hause angekommen. Sie schauten sich traurig an. Plötzlich klopfte es an der Tür. Draußen standen Lila und die Tiere, denen Wurzel heute geholfen hatte. Sie brachten einen großen, roten Apfel. „Wir dachten uns, du könntest auch mal Hilfe brauchen!", sagten sie. Hilda und Wurzel schauten sich glücklich an und brachten den Apfel gleich in ihr Vorratslager.

Der Spatz

Ein kleiner Spatz in einem Wald
Der wollte nicht mehr fliegen.
„Das ist zu hoch und auch zu kalt,
Ich werd hier Grippe kriegen!

Ab jetzt geh ich nur noch zu Fuß!",
Sprach er zu den andern Vögeln.
„Und manchmal fahr ich vielleicht Bus:
Das kann man doch wohl regeln!"

So sah man ihn so ab und an
zur Haltestelle gehen.
Jedoch der Bus hielt niemals an:
Man hat ihn übersehen!

Da schimpfte unser Vogelkind:
„Dann flieg ich eben wieder!"
Und seither fliegt der Spatz geschwind
Ganz fröhlich auf und nieder.

Michels Stern

„Unser Michel ist ein richtiger Träumer!", sagte
Oma. Michel saß mit seinem Kater Karl gemütlich
auf der Fensterbank. Sie kuschelten sich aneinander
und sahen hinauf zum Sternenhimmel. Michel hatte
Oma gehört. „Ich bin kein Träumer", sagte er, „ich
rede mit meinem Stern!" Oma lachte und kam zum
Fenster herüber. „Na so was", sagte sie, „du hast also
einen eigenen Stern?" – „Na klar!", antwortete Michel
stolz. Mama kam auch zum Fenster. „Das stimmt",
sagte sie. „Siehst du den leuchtenden Stern dort oben
rechts? Den, der so hell funkelt? Das ist Michels
Stern. Als Michel noch ganz klein war, haben wir
immer dieses Schlaflied gesungen: *Weißt du, wie viel
Sternlein stehen an dem weiten Himmelszelt? Weißt
du, wie viel Kinder gehen über diese weite Welt? Gott
der Herr hat sie gezählet, dass ihm auch nicht eines
fehlet an der ganzen, großen Zahl.*" Daraufhin sagte
Michel: „Da habe ich gedacht, dass Gott sich aber
ganz schön viel merken kann! Und ich habe überlegt,
wie er das wohl macht. Wenn ich mir was merken
will, dann male ich mir manchmal ein Erinnerungs-
bild und hänge es auf. Und da bin ich auf die Idee gekommen: Vielleicht hängt sich Gott ja Erinnerungs-
sterne auf, um sich alle Kinder zu merken?"

„Genau", sagte Michels Mama. „Und als wir gerade
überlegten, welcher Stern wohl an Michel erinnert,
da blinkte plötzlich dieser Stern da oben ganz hell
auf. Als ob er sagen wollte: Ich bins! Und seither
denken wir uns: Das ist wohl Michels Stern." Oma
stellte sich zu Michel, Kater Karl und Mama. Und
alle sahen zu Michels Stern hinauf. Und es schien, als
würde er wirklich besonders hell funkeln.

Klaus Kugelfisch

Klaus Kugelfisch war immer gut gelaunt. Er lachte, wenn er morgens aufwachte und er freute sich am Mittag. Am Nachmittag spielte er ausgelassen. Und abends sang er Lieder im Schein der Leuchtalgen. Fast jeder hatte ihn gern. Aber seinem miesepetrigen Nachbarn Kurt Krebs passte das gar nicht. Kurt Krebs wachte meist schon schlecht gelaunt auf. Er ärgerte sich am Vormittag. Nachmittags schimpfte er über alles und jeden und abends ging er wütend ins Bett. Am meisten ärgerte er sich über den gut gelaunten Kugelfisch. „Jeden Tag macht er mir zur Hölle. Immer muss ich mir sein dummes Grinsen ansehen! Das kann doch kein Krebs aushalten!", schimpfte Kurt vor sich hin. Er versuchte immer besonders griesgrämig zu Klaus Kugelfisch zu sein. Denn er hoffte, so könne er ihm die gute Laune verderben. Aber Klaus, der Kugelfisch, fand seinen Nachbarn eigentlich ganz nett. Er ist nur immer so schlecht gelaunt, dachte er, aber ich werde es schon noch schaffen, ihn aufzuheitern! Und das versuchte Klaus Kugelfisch jeden Tag. Einmal brachte er ihm eine schöne Muschel mit. Aber Kurt Krebs brummte nur: „Was soll ich mit diesem Ding?", und warf sie weg. Ein andermal sang Klaus dem Krebs sein Lieblingslied vor.

Aber Kurt Krebs hielt sich nur mit seinen Scheren die Ohren zu ...

Am nächsten Tag schwamm Klaus früh zu Kurt hinüber und bemühte sich, selbst ganz grimmig auszusehen. „Ach, da kommt mein gut gelaunter Nachbar!", brummte Kurt Krebs. „Unsinn! Ich bin ganz schlecht gelaunt", sagte Klaus da. Denn er hatte einen Plan. Kurt staunte: „Was, du bist auch mal schlecht gelaunt? Na so was!" Und er freute sich richtig darüber: „Super", lachte er, „endlich bin ich mal nicht der einzige Griesgram hier!"

„Ich schwimme jetzt spazieren, willst du mitkommen?", fragte Klaus. „Klar", antwortete Kurt, „mit so einem schlecht gelaunten Fisch schwimme ich gerne herum!" Und während sie durch die Gegend schwammen, wurde der Krebs immer lustiger und hatte immer mehr Spaß. „Es ist ja viel schöner, etwas mit anderen zu machen, als ich dachte!", rief er. Und seither ist Kurt gar nicht mehr so schlecht gelaunt. Und das Beste daran ist: Klaus Kugelfisch und Kurt Krebs sind sogar richtig gute Freunde geworden.

Willi Wal

Willi war ein Walkalb. So nennt man die Walkinder. Mit seiner Mama, seinen Freunden und seiner ganzen Familie durchschwamm er das weite Meer.

Willi war der kleinste Wal von allen. Seine Brüder, seine Schwestern, seine Freunde und Freundinnen – alle waren größer als Willi. Und jeder konnte irgendetwas besonders gut: tief tauchen, schnell schwimmen oder hoch springen. Willi wollte auch etwas Besonderes können. Aber nichts klappte so recht.

Doch eines Tages entdeckte Willi, dass er auch etwas ganz Besonderes kann. Wale haben nämlich oben auf ihrem Kopf ein kleines Loch, durch das sie Luft holen. Und wenn ein Wal auftaucht und Luft aus dem Loch herauspuset, dann sieht man eine hohe Wasserfontäne spritzen.

Aber Willi konnte nicht nur einfach Fontänen pusten, sondern richtige Figuren.

Willi Wal pustete Herzen, Sterne, Wolken und was ihm sonst noch alles einfiel. Ja sogar ein Bild von einem Walfisch konnte er pusten. Und weil er das so gut konnte, wurde er unter den Walen richtig berühmt.

Wenn du also mal auf dem Meer unterwegs bist und plötzlich einen Wasserstrahl vor dir siehst, der wie eine Katze aussieht: Dann wird das wohl der Walfisch Willi gewesen sein.

Der Traumkater

Wenn du schläfst,
Pirscht sich der Traumkater an:
Schnurrt dir Träume ins Ohr,
Die man anfassen kann.
Träumt dir Berge aus Popcorn,
Einen Fluss voll Kakao.
Macht mit dir eine Reise
Bis ins Land der Mondenfrau.

Wenn du schläfst,
Schnurrt der Traumkater Lieder dir vor:
Von der Stadt in den Wolken
Mit dem Edelsteintor.
Von den Feen, die dort wohnen,
Vom geflügelten Pferd,
Das dich abholt zur Stadt
Und zurückbringt zur Erd'.

Wenn du schläfst,
Lacht der Traumkater fröhlich und ruft:
„Komm mit mir,
Lass uns fliegen ganz hoch in die Luft!

Bis hinauf in den Himmel,
Einmal rund um die Welt.
Und wir halten dort an,
Wo es uns gut gefällt!"

Wenn du schläfst,
Ruft der Traumkater dich zu sich her,
Nimmt dich mit auf die Reise übers Kindertraummeer.
Zeigt dir Drachen und Wale und ein Seeräuberschiff,
Zeigt dir knallbunte Fische im Korallenmeerriff.

Wenn du schläfst
Kommst du sogar ins Traumkaterland.
Alle freuen sich sehr, du bist jedem bekannt.
Und sie rufen dir zu: „Schön, dich wieder zu sehn!
Bleib nur recht lang bei uns,
Denn mit dir ist es schön!"

Wenn du schläfst,
Zeigt der Traumkater dir wunderbar:
Alle Träume sind echt
Und die Märchen sind wahr!
Du triffst Rotkäppchen,
Wanderst mit Riesen ein Stück,
Siehst Schneewittchen,
Die Geißlein und auch Hans im Glück.

Drum sei leise, der Traumkater ist furchtbar scheu.
Bist du wach, bleibt er fern.
Darum schlaf schnell und freu
Dich auf die bunten Träume.
Mach die Augen schnell zu
Dann kommt er gesprungen,
Und legt sich mit dir zur Ruh.

Der Bilderbuchpirat

Sven lag gemütlich auf dem Fußboden und sah sich sein Lieblingsbilderbuch an: Piet, der schreckliche Pirat. Das konnte er schon fast auswendig.

Kennst du Piraten? Sie fahren mit ihren Segelschiffen herum und überfallen andere Schiffe. Und dann klauen sie alles, was sie finden können. Viele Piraten haben deshalb Schätze, die sie irgendwo verstecken.

Es ist bestimmt spannend, ein Pirat zu sein!, dachte Sven. In diesem Moment hört er eine Stimme direkt neben seinem Ohr: „Glaub das mal nicht! Das ist meistens ganz schön langweilig!" Sven sah sich um – aber da war kein Mensch! Und trotzdem hörte er die Stimme schon wieder: „Du redest wohl nicht mit jedem, was? Hier unten bin ich!" Und als Sven nach unten sah, staunte er nicht schlecht: Piet, der Pirat, winkte ihm aus seinem Lieblingsbuch entgegen. So, als ob er richtig lebendig wäre! „Was heißt hier, als ob er lebendig wäre: Ich bin sehr wohl lebendig!", rief der Bilderbuchpirat empört aus dem Buch heraus. Dann stemmte er die Arme in die Hüften und schnaufte: „Dir werde ich es zeigen!" Piet sprang ins Bilderbuchmeer und schwamm bis zum Seitenrand des Buches. Dort kletterte er dann tropfnass aus dem Buch heraus. Und schon stand er laut schimpfend

direkt vor Sven – mitten im Kinderzimmer. „Warum bist du denn so wütend?", fragte Sven. „Mein Schatz ist weg! Jemand hat ihn geklaut. Er muss hier irgendwo in deinem Kinderzimmer sein!", rief Piet. „Das war bestimmt Pirat Alex. Er hat ihn genommen und ist damit aus dem Buch verschwunden. Hilfst du mir, ihn zu suchen?" – „Klar", sagte Sven. Und schon suchten sie los: Unterm Bett war nichts. Auch nicht im Kleiderschrank und nicht in der Spielzeugtruhe ... „Ich habs!", rief Sven und sah in der Schatztruhe seines Playmobilschiffs nach. Da funkelte es von Gold und Edelsteinen! „Danke!", rief Piet, als Sven ihm die Sachen zum Buch trug. „Zum Dank nehme ich dich mal auf eine Traumreise mit" – „Gern!", sagte Sven. Und in derselben Nacht machte er tatsächlich eine Piratentraumreise.

Aber das ist eine andere Geschichte ...

Sven auf Traumreise

Sven hatte ein Lieblingsbuch. Das hatte er bestimmt schon hundertmal angesehen, bis plötzlich etwas ganz Verrücktes passierte: Die Figur in seinem Buch wurde plötzlich lebendig! Piet, der Bilderbuchpirat, kam aus dem Buch herausgeklettert, weil er seinen Schatz suchte. Und so lernten sich Sven und der Bilderbuchpirat kennen. Seither gehen sie nachts manchmal auf eine Traumreise.

Als Sven eines Nachts die Augen zumachte, träumte er, er stünde wieder an Deck des Piratenschiffs aus seinem Lieblingsbuch.

„Willkommen auf der ‚Bunten Kuh!‘", begrüßte ihn Piet auf seinem großen Schiff. Sven freute sich: „Ach Piet, wie schön, hier bei dir zu sein!" Der Wind wehte durch seine Haare und sein Schlafanzug flatterte im Wind. Deshalb gab ihm Piet einen warmen Piratenmantel. Sie segelten los. Sie schipperten in der Südsee, wo es warm und schön ist. Und sie besuchten wunderbare Inseln.

Als sie gerade eine neue Insel betreten hatten, bebte plötzlich der Boden. Alles zitterte und wackelte. Und dann brüllte eine laute, tiefe Stimme: „Halt! Was macht ihr hier auf meiner Insel?" Piet und Sven erschraken ganz schön.

Plötzlich stand direkt vor ihnen ein riesengroßer, wütender Drache! „Entschuldigung, ich wusste ja nicht, dass die Insel dir gehört!", sagte Piet. „Das ist mir egal!", rief der Drache. „Wer auf meine Insel kommt, muss etwas dafür bezahlen. Sonst müsst ihr für immer hier bleiben!" Zum Glück hatte Sven sofort eine

Idee: „Wie wäre es mit einem Kaugummi?", fragte er
den Drachen. Sven hatte nämlich immer einen Kaugummi einstecken – für den Fall, dass er mal nicht
einschlafen konnte. Sven griff in die Tasche seines
Schlafanzuges. „Kenn ich nicht, gib her!", murmelte
der Drache. Er steckte den Kaugummi in den Mund
und guckte verwundert. Und während er noch kaute,
sprangen Sven und Piet schnell in ihr Segelschiff und
fuhren davon.
Plötzlich wachte Sven auf. Er lag in seinem Bett und
die Nacht war vorüber.